日本蛙类全 48 种正面照

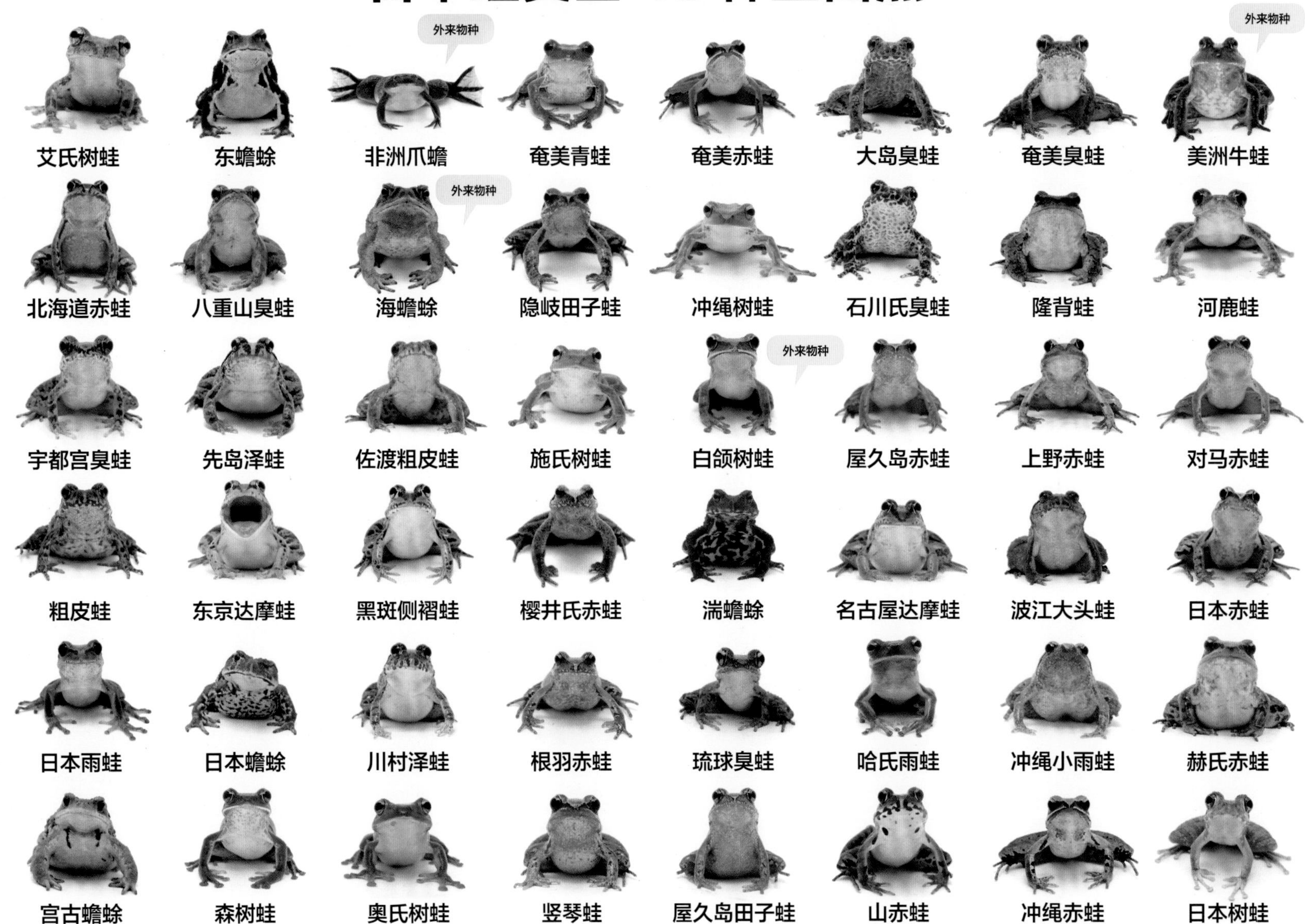

蛙蛙探险记

我是一个特别喜欢“捉”蛙的人。
不过不是用手，而且是用镜头去捕捉、记录它们。
不知为何最近蛙的数量越来越少，为了探究个中原因，我踏上了寻找日本蛙蛙之旅。

为此，我走遍日本列岛，拍摄到各种各样的蛙类。
通过这次旅程，我了解到不同的蛙类对栖息环境的喜好不同，它们的生存方式也存在着差异。
我完全被这些小家伙们所吸引，不知不觉已经将日本现存的所有蛙类（共48种）都收入相机中。

“人类应该如何与蛙类和谐共存？”
希望大家可以随我的镜头共同去探险，了解蛙类的生存方式和生活环境、感受它们的魅力。
让我们一起找出问题的答案吧！

自然侦探团

ZIRAN ZHENTANTUAN

蛙蛙探险记

減っているってほんと!?日本カエル探検記

目录

[日]关慎太郎/著　光合作用/译　博得自然/审订

CNS | K 湖南科学技术出版社

窗外的美景

我的家坐落于日本滋贺县的琵琶湖边，推开窗就能看到美景：日本最大的淡水湖——琵琶湖、绵延不绝的山和田埂。这里便是我观察蛙类的主要地点。

田埂和群山

被夕阳染红的琵琶湖

从日本最北端到最南端，每个地区都有其特有的蛙类。

我所生活的滋贺县处于日本列岛的中间位置，不管东行还是西行都很方便，而且这里四季分明，广阔的琵琶湖使周围环境具有合适的湿度。这里物种丰富，非常适合观察各类生物，特别是蛙类。

夜里温暖的雨水滋养着大地

2 月，夜里下起了温暖的雨，这也预示着春季的到来。
滋贺县的水田冬季也会蓄水，初春从家附近的水田里传来了蛙鸣："呱呱呱呱……"向叫声处望去，会看到附近一片红褐色的日本赤蛙。

蛙鸣主要发生在繁殖[1]期，雄蛙会通过鸣叫吸引同种的雌蛙。而雌蛙会在遇到危险时鸣叫，发出求救信号，或是在产卵结束后通过鸣叫催促雄蛙离开。

嘴巴尖尖、身形小巧的日本赤蛙

1 繁殖是指生产、排出卵的过程。

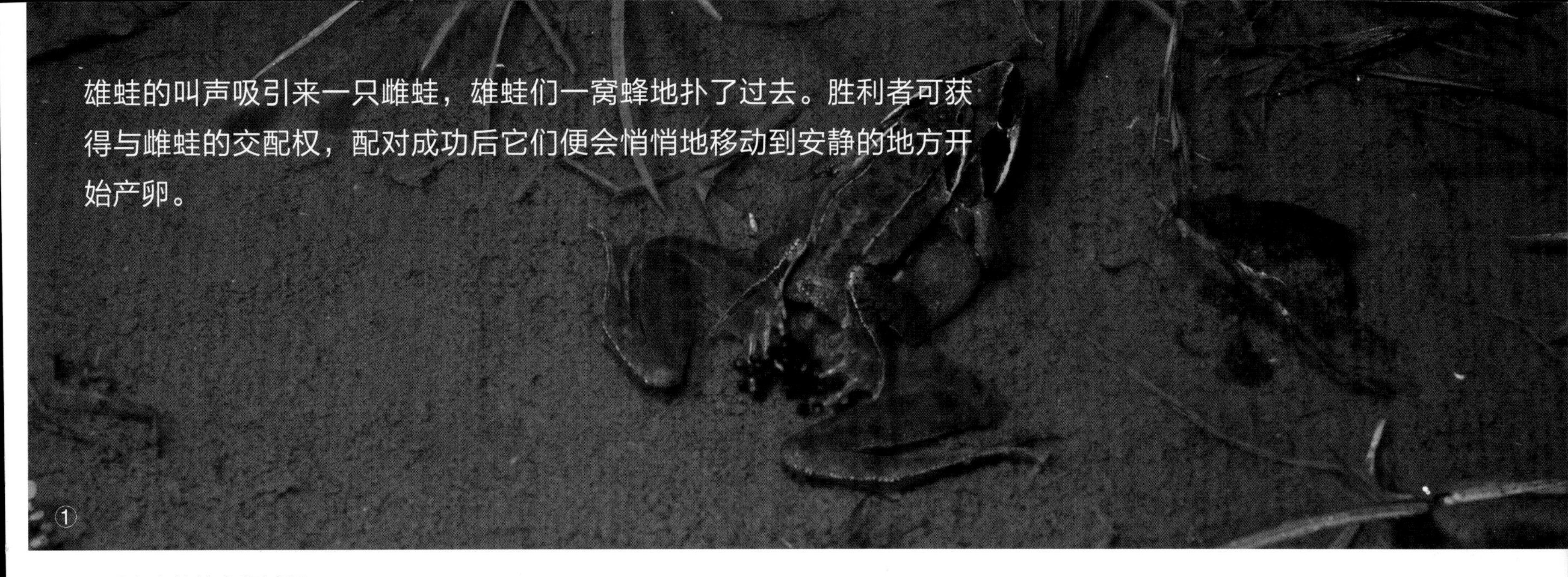

雄蛙的叫声吸引来一只雌蛙，雄蛙们一窝蜂地扑了过去。胜利者可获得与雌蛙的交配权，配对成功后它们便会悄悄地移动到安静的地方开始产卵。

日本赤蛙的产卵过程：

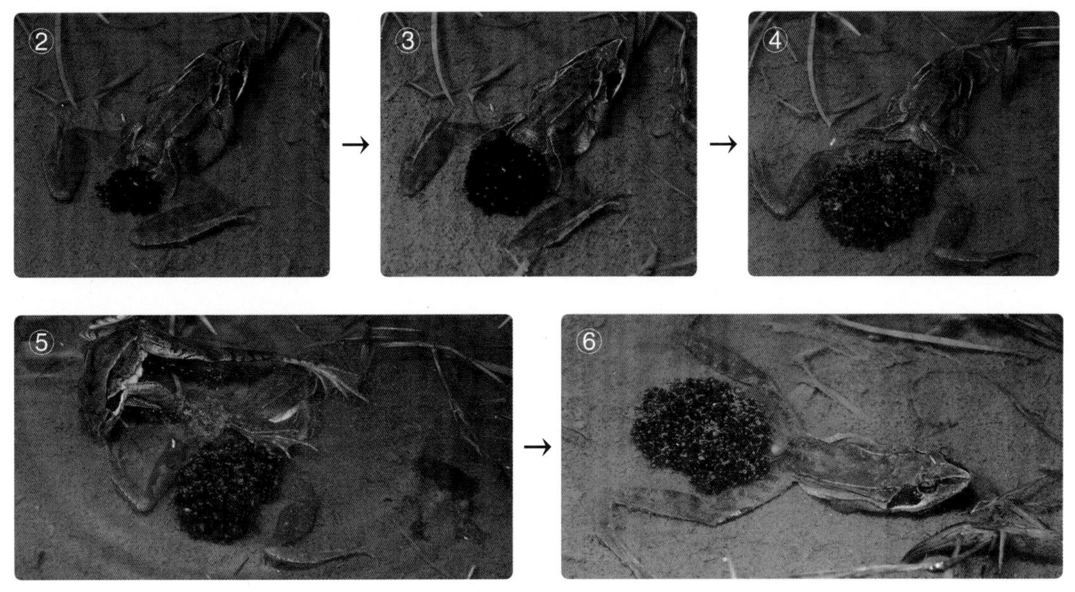

刚刚排出的卵团[1]像乒乓球般大小，吸水后会膨胀到 2~3 倍大。卵的外面有一层透明胶质膜包裹，它可以抵挡水温突变等因素带来的外部刺激，还可以阻挡紫外线，从而保护卵。

1 卵团是指卵聚集成的团块。

日本赤蛙在冬水田里产下的卵团

水岸环境的重要性

冬水田对日本赤蛙来说是非常珍贵的产卵地，不过近年来从事农业人口的高龄化、农业的多样化、耕地改造[1]等因素，使得冬季大多数水田里的水都会被放掉，蛙类的产卵地也就逐渐减少了。

种植水稻的耕地

不再种植水稻的耕地

1 耕地改造是指为了让农民更好地利用耕地，对水田、旱田进行改造。

除稻田外，蛙蛙们还有一处栖息地——丘陵[1]地带。此处虽然远离城市，却同样具有田园气息。

由于耕地相对比较容易开发用来建造住宅，所以最先消失的就是耕地。

工地的水池与名古屋达摩蛙

1 丘陵是指角度较缓的山丘组合体。

赤蛙的繁殖策略

身体呈红色的蛙类除了日本赤蛙还有很多，虽然它们的栖息地和生存环境不同，但都是在冬季到初春这个时期产卵。

山赤蛙

奄美赤蛙

隐岐田子蛙

对马赤蛙

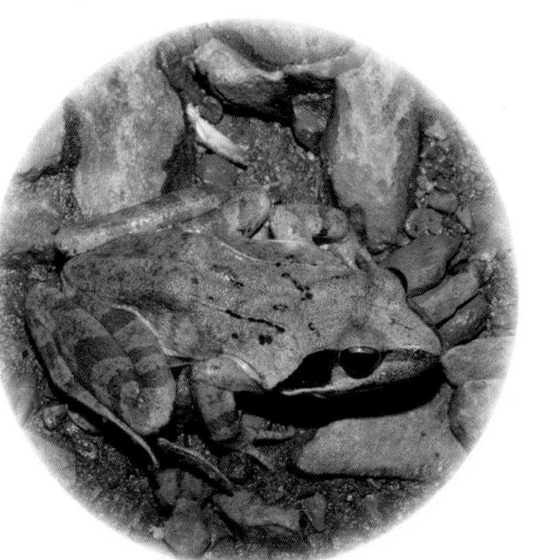

上野赤蛙

日本赤蛙

樱井氏赤蛙

根羽赤蛙

屋久岛田子蛙

北海道赤蛙

屋久岛赤蛙

冲绳赤蛙

赤蛙为什么要特意选在严寒时期产卵呢?
可能因为这个时期卵和蝌蚪的天敌比较少，还有可能是为了避开其他蛙类冬眠后的产卵热潮。

赤蛙的产卵百态

山赤蛙

“叽叽哇哇……”

与日本赤蛙相比，山赤蛙大多会选择山地作为栖息地，冬季它们会到山脚下的田埂和湿地里产卵。

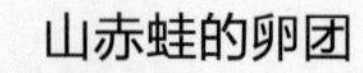
山赤蛙的卵团

"咕嘎嘎嘎……"

樱井氏赤蛙

樱井氏赤蛙是一种会利用水流的蛙类，雄蛙会在雌蛙产卵的前几个月就潜入河流中等待交配。它们的表皮比较松弛，这使得它们能通过扩张表皮来达到在水中顺畅呼吸（皮肤呼吸）的效果。

一对樱井氏赤蛙（左侧是雌性，右侧是雄性）

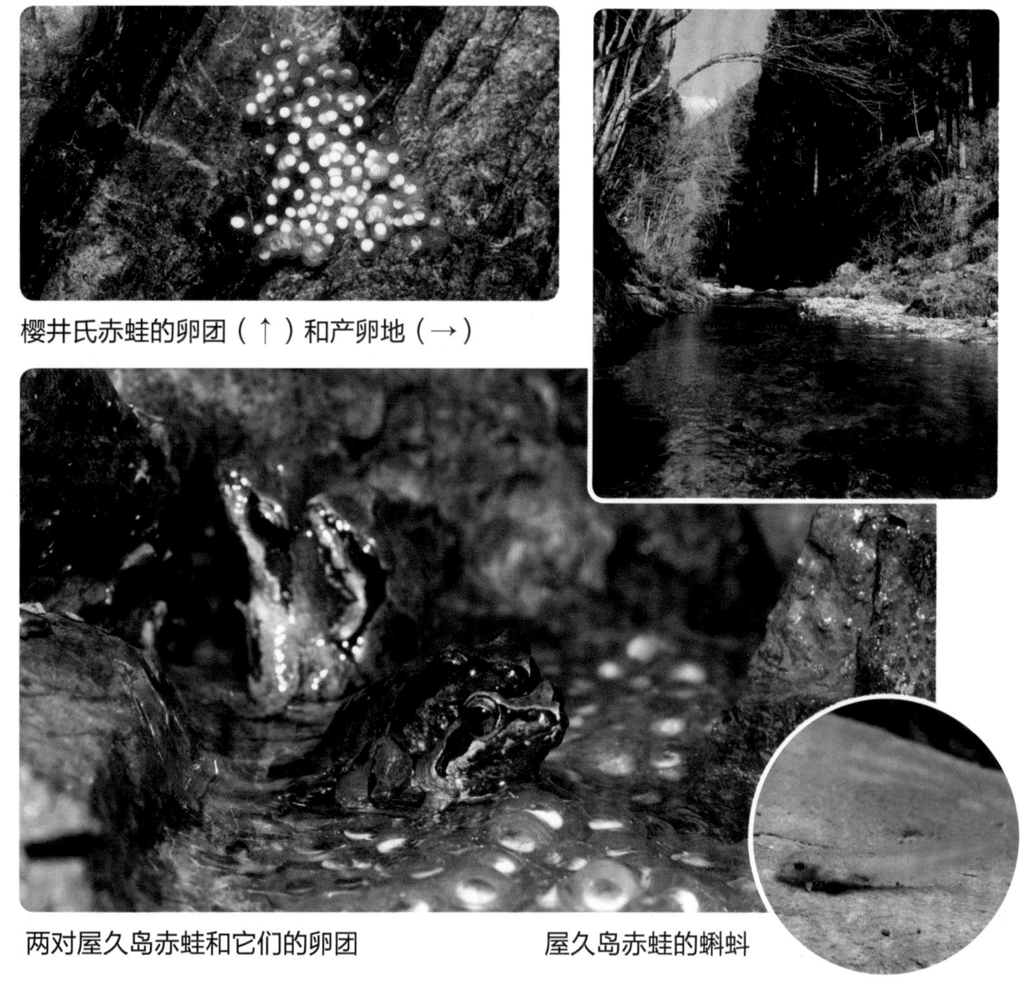

樱井氏赤蛙的卵团（↑）和产卵地（→）

两对屋久岛赤蛙和它们的卵团

屋久岛赤蛙的蝌蚪

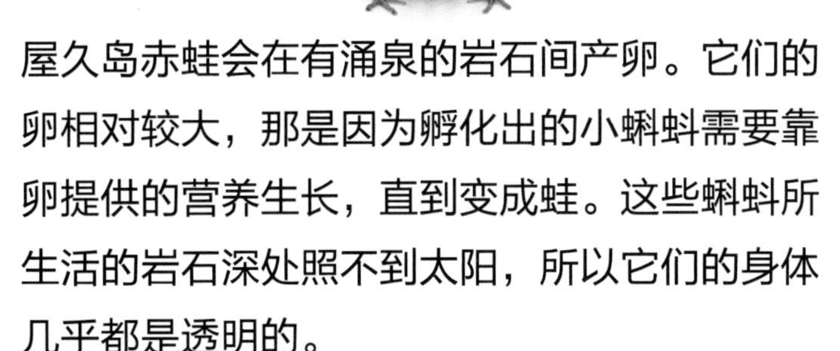

"咕咕咕……"

屋久岛赤蛙

屋久岛赤蛙会在有涌泉的岩石间产卵。它们的卵相对较大，那是因为孵化出的小蝌蚪需要靠卵提供的营养生长，直到变成蛙。这些蝌蚪所生活的岩石深处照不到太阳，所以它们的身体几乎都是透明的。

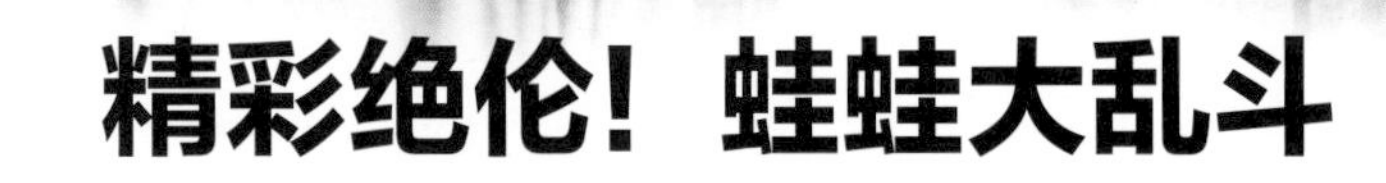

精彩绝伦！蛙蛙大乱斗

当日本各地的赤蛙们产卵结束时，有一家小院里传来“咯吱咯吱”的声音，哎呀，是一只大蟾蜍！

院子前庭出现了一只日本蟾蜍。

东日本生活着东蟾蜍，西日本则生活着日本蟾蜍，近畿地区和中部地区山谷的小溪边生活着湍蟾蜍，宫古岛等地还有当地特有的宫古蟾蜍。

日本蟾蜍

湍蟾蜍

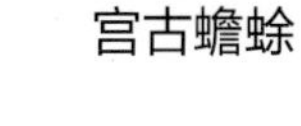

宫古蟾蜍

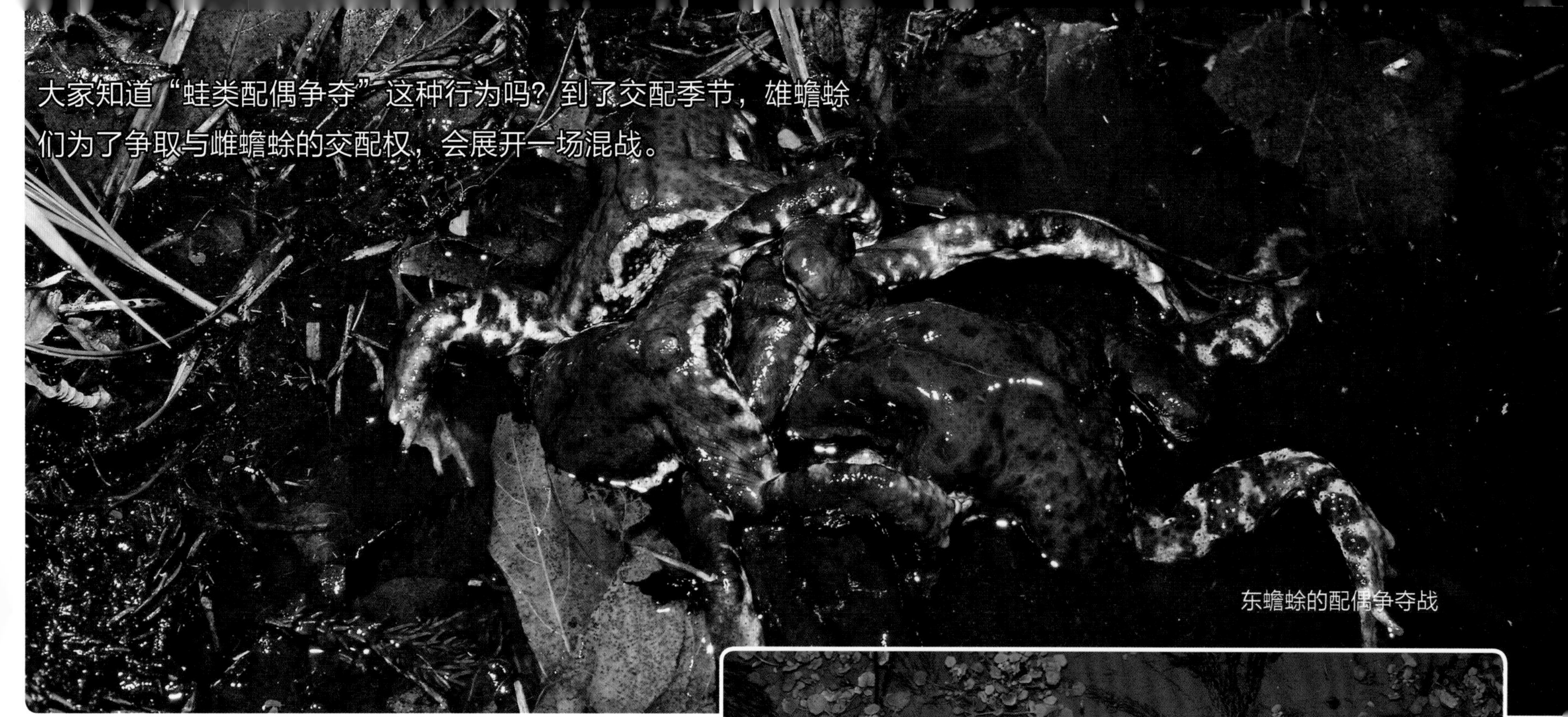

大家知道“蛙类配偶争夺”这种行为吗？到了交配季节，雄蟾蜍们为了争取与雌蟾蜍的交配权，会展开一场混战。

东蟾蜍的配偶争夺战

东蟾蜍会在公园的水池、树林边的水坑等地产卵。等待雌蟾蜍的雄性们已经急不可耐了，不管三七二十一，只要抓到一只就会抱上去。当然肯定会有错抱到同性的时候，被抱住的雄性内心十分崩溃，发出“呼、呼、呼”的声音催促对方放开自己，申明自己是雄性。雌蛙被抱住的话并不会发出声音，如果顺利成为一对，雌蛙便会开始产卵。

东蟾蜍的卵呈带状，长的能达到 10 米。一群蝾螈守在旁边等待享受这美味。

小蟾蜍上岸

从带状的卵中孵化出无数小蝌蚪，它们会凑在一起过集体生活。

严寒时期小蝌蚪们会像“挤豆包”一样聚集在一起，靠这种方法来提高彼此的体温。集体行动也许是为了让它们在变成蟾蜍后能够一起上岸。

集体活动的东蟾蜍小蝌蚪们

水边挤满了身长不到 1 厘米、尾巴还没有完全褪去的黑色小蛙。它们在等待一场雨，雨水落下来时它们便会一同上岸。

小小的身躯经受不住猛烈的阳光，一不小心可能就会被烤干，所以它们会在阴雨天拼命往岸上跳。

现在放在手指上几乎都感觉不到重量的小蟾蜍，几年后就会长到手掌般大小，生命的重量真是不可量化啊！

开始往岸边跳的小东蟾蜍

我生活的地方没有蟾蜍，想看蟾蜍还需要到郊外的山脚下。但神奇的是大城市的公园里却能看到蟾蜍，大城市里的蟾蜍甚至比日本雨蛙（后面会讲到）更常见。

从树洞里探出头来的东蟾蜍

外来入侵物种

日本一些地方生存着一种海蟾蜍，它比前面介绍的蟾蜍体型更大。海蟾蜍是以前人们为了消灭甘蔗害虫而从国外引进的物种，但事与愿违，引进的这些蟾蜍不但够不着甘蔗上的害虫，而且大量繁殖。它们将当地本土物种[1]的食物都吃光、还侵占其他动物的产卵地，影响恶劣。

像海蟾蜍这样并非生于本地而是从外来引进的生物，我们将它们称为“外来物种[2]”。我们熟知的美洲牛蛙——那个生活在公园池塘里叫声洪亮的家伙，以及作为实验室动物和宠物走进人们生活的非洲爪蟾，还有在冲绳地区和八重山地区开始大量繁殖的白颌树蛙都是外来物种。

威胁对方的海蟾蜍

“啵啵啵啵……”叫的雄性海蟾蜍

“吱嘎吱嘎……”叫的雄性白颌树蛙

制作泡沫巢准备产卵的白颌树蛙

1 本土物种是指原本就一直生存在当地的物种。

2 外来物种是指原本在当地没有自然分布，因为迁移扩散、人为活动等因素被带到此地的物种。

非洲爪蟾

“吱嘎嘎嘎……”

非洲爪蟾的后肢发达并且长有蹼。

美洲牛蛙

“唔哞—唔哞……”

“唔哞—唔哞……”大声叫的美洲牛蛙

美洲牛蛙传入日本时最开始是被当作一种食用动物。

小龙虾作为美洲牛蛙的饲料一同传入日本。图中一只美洲牛蛙正在享用小龙虾。

用泡沫做巢？！

蟾蜍的繁殖期结束后，春季的水田边又迎来另一种蛙——施氏树蛙。

它不仅名字与众不同，产卵方式也很独特。

春季水田边的施氏树蛙

春季耕种前农民开始犁水田，这将施氏树蛙从冬眠中吵醒，水田里传来它不满的叫声“叮叮叮叮……”施氏树蛙通常会钻进田埂[1]柔软的土壤中鸣叫。

鸣叫的雄性施氏树蛙

1 田埂是指田间稍高于地面的狭窄小路。

夜里，雌蛙驮着雄蛙灵活地用后肢往地里刨，然后将水和它分泌的蛋白黏液搅打成泡，一边制作泡沫巢（译者注：卵泡团），一边产卵。这时其他雄蛙也会加入进来，这种“一雌多雄”的抱对方式能让大多数雄蛙留下自己的后代。

边制作卵泡团边产卵的施氏树蛙
（两只雄蛙抱着一只雌蛙。）

在卵泡团中孵化的蝌蚪会随着雨水流到水田里慢慢长大。

田边的卵泡团

从卵泡团中孵化出来的
施氏树蛙蝌蚪

“青蛙”大家族

施氏树蛙是一种身体呈绿色的蛙类。其实“青蛙”家族中除了后面要为大家介绍的日本雨蛙和森树蛙，还有很多品种，比如冲绳树蛙、奄美青蛙、奥氏树蛙都是绿色的，这些蛙类中除施氏树蛙外，都是在树上产卵。

奄美青蛙

“咕嘁嘁嘁……”

发出“咕嘁嘁嘁……”叫声的雄性奄美青蛙

奥氏树蛙

“咻咕咕咕……”

发出“咻咕咕咕……”叫声的雄性奥氏树蛙

冲绳树蛙

一对冲绳树蛙（雌蛙在下，雄蛙在上），雄蛙“哩哩哩哩……”地叫着。

日本雨蛙的生活

在施氏树蛙开始产卵的时候，春季的水田也热闹了起来，其中叫声最大的那位就是日本雨蛙先生。

深夜，在田里鸣叫的日本雨蛙。

青蛙的种类不同，声囊的形态也不一样。雄性日本雨蛙咽喉下部有一个大大的声囊，它的声囊充气鼓起来的时候会发出“哇哇哇……”的声音。另外它的指端有吸盘，所以十分擅长抓取和攀爬。

爬到问荆上的日本雨蛙

一只雄性日本雨蛙将被它叫声吸引而来的雌蛙紧紧抱住，雌蛙一被抱住便会努力浮出水面，游往有水稻等能抓稳的地方开始产卵。它的尾部在水中上下浮动排出卵，卵在水面上漂浮，碰到水稻的茎就会粘上去。卵吸收水分沉到水里，慢慢孵化出小蝌蚪，一个小生命就这样诞生了。

正在产卵的日本雨蛙（雌蛙在下，雄蛙在上）

粘在水稻茎上的日本雨蛙的卵

“哇——哇——”

住在南方小岛上的小雨蛙

原生于日本的雨蛙其实还有另外一个品种，那就是哈氏雨蛙，雄蛙经常在树上“哇——哇——”地鸣叫。它的体型要比日本雨蛙小。

鼓起声囊高声叫着的雄性哈氏雨蛙

一对哈氏雨蛙（左边为雄性，右边为雌性）

日本雨蛙的七种变化

说到日本雨蛙的特技，就不能不提“变色”这个技能了。它会根据周围环境的色彩瞬间变换体色，体表的色素细胞迅速做出反应，技能出神入化，简直就像拥有隐身之术。

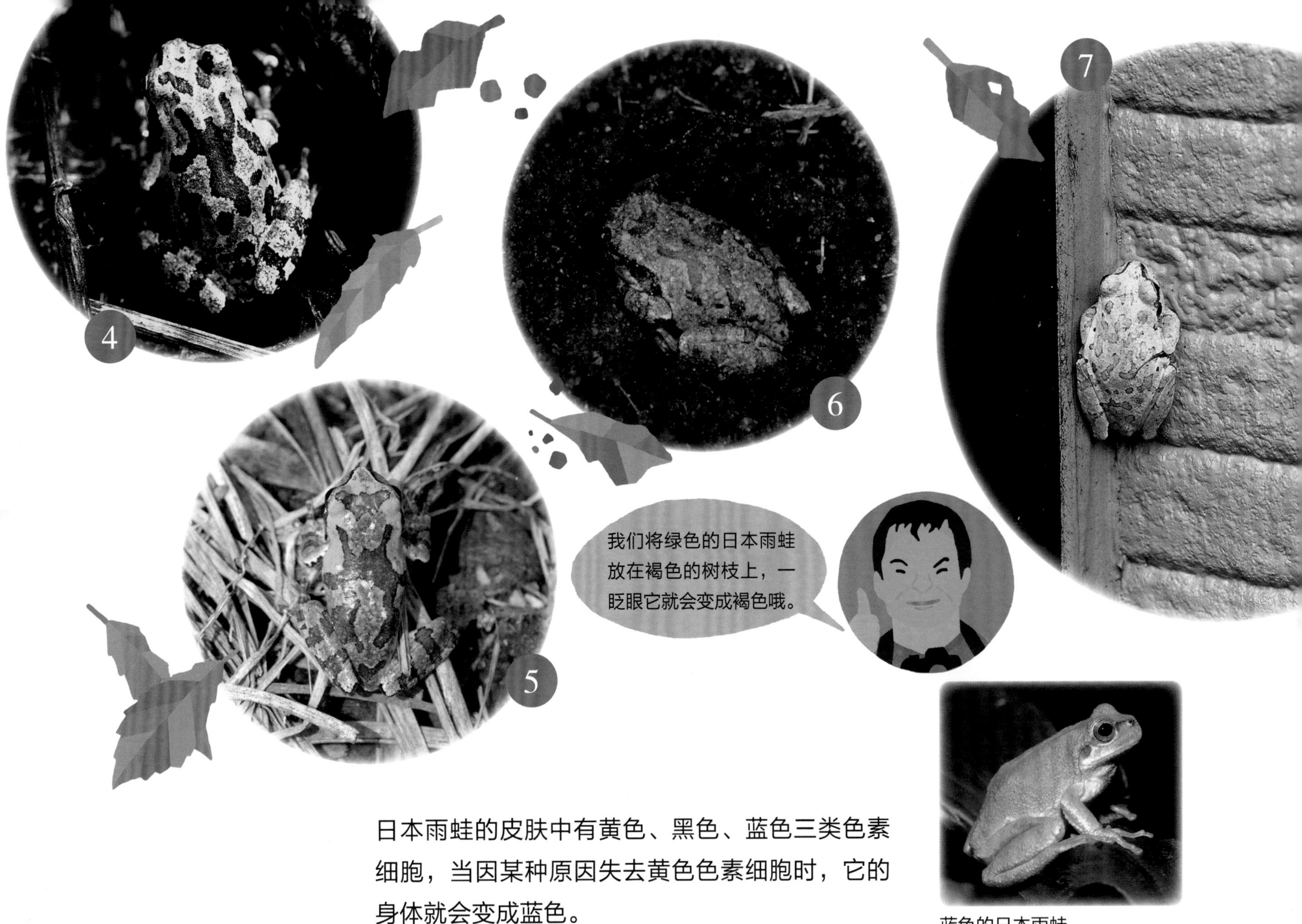

日本雨蛙的皮肤中有黄色、黑色、蓝色三类色素细胞，当因某种原因失去黄色色素细胞时，它的身体就会变成蓝色。

蓝色的日本雨蛙

蛙界知名跳高选手

“咕噜噜噜……”

黑斑侧褶蛙体型较大，雄蛙会发出“咕噜噜噜……”的叫声。虽然它不像雨蛙一样指端长有吸盘，但这不影响它的跳跃能力，它是蛙界有名的跳高选手，最高可跳到 50 厘米左右哦！

黑斑侧褶蛙纵身一跃

一只雄性黑斑侧褶蛙正在鼓起两颊的声囊鸣叫。

到了繁殖的时期，雄性黑斑侧褶蛙之间会展开领地争夺战。雄蛙大声地鸣叫，看守着自己的地盘，有时还会因此大打出手。当有雌蛙进入自己的领地就会毫不犹豫地抱上去，配对成功便悄悄地移动到安静的地方准备产卵。

因产卵聚集在一起的黑斑侧褶蛙

争夺领地的黑斑侧褶蛙

正在产卵的一对

水田里黑斑侧褶蛙的卵团

南方小岛上的著名跳高选手

臭蛙也是知名的跳高选手。它们的跳跃能力甚至高于黑斑侧褶蛙，臭蛙的身体构造浑然天成，仿佛是为了跳跃而生。不同的地区有不同的物种形成[1]，有生活在奄美大岛和德之岛上的奄美臭蛙，还有生活在冲绳岛屿上的琉球臭蛙，以及生活在石垣岛和西表岛的宇都宫臭蛙、八重山臭蛙。臭蛙都是在 12 月 ~ 次年 3 月进行产卵，具体的产卵方式我们还不得而知。它们基本上会在森林里的溪流边产卵，但过了繁殖期好像就会离开溪流，不太容易观察到。

奄美臭蛙

“啾啾啾啾……”叫的雄性奄美臭蛙

琉球臭蛙

“叽叽叽叽……”叫的雄性琉球臭蛙

1 物种形成是演化的一个过程，指生物分类上的物种诞生。

宇都宫臭蛙

发出“咻……”叫声的雄性宇都宫臭蛙

八重山臭蛙

正在产卵的八重山臭蛙，雄蛙“啾……”地叫着。

八重山臭蛙的产卵地和卵团

蛙蛙陷阱

与黑斑侧褶蛙同一种类的蛙还有“哇嘎啊啊啊……”叫的名古屋达摩蛙和“嘎嘎嘎嘎……”叫的东京达摩蛙，从名字就能看出来这两种蛙分布在日本东、西两地。

一只鼓起双颊声囊的雄性名古屋达摩蛙

名古屋达摩蛙和东京达摩蛙虽然与黑斑侧褶蛙外形极其相似，但与它那出色的跳跃能力相比，可以说几乎没有什么跳跃技能。由于它们用于跳跃的后腿短，像个达摩不倒翁似的，所以被称为“XX 达摩蛙”。

腿长对比

名古屋达摩蛙

东京达摩蛙

黑斑侧褶蛙

随着农田不断地被开发，耕地已经被钢筋水泥建筑所替代。一些跳跃能力不强的蛙类一旦掉进很深的人造排水沟里，就可能因跳不上来而被太阳烤干。我想名古屋达摩蛙和东京达摩蛙数量减少也有这方面的原因。

掉进刚建好的排水沟而被烈日晒干的名古屋达摩蛙

田地里仍然热闹非凡

接下来进入繁殖期的是“哇唔哇唔……”叫的粗皮蛙，还有发出“嘎唔嘎唔……”叫声的川村泽蛙。粗皮蛙身体表面疙疙瘩瘩的，所以它还有个名字——疣蛙，这些“疣”会散发出难闻的气味；而川村泽蛙虽然身上也有一些突起，但更光滑些。

鸣叫的雄性粗皮蛙

鸣叫的雄性川村泽蛙

当一只粗皮蛙遭到蛇的攻击时，它就会从“疣”中分泌出黏液进行反击。大多数蛙类的皮肤黏液都有一定毒性，而粗皮蛙算是毒性比较强的品种了。

粗皮蛙成功从四线锦蛇口中逃脱。

处于危机时刻的粗皮蛙

粗皮蛙释放黏液后趁机逃了出来。

粗皮蛙的产卵地有许多，稻田等地都有它的踪影，但平时它会生活在清凉的河边；而川村泽蛙夏季可以在超过 40℃高温的水田里产卵。

虽然这两种蛙长得很像，但很明显，粗皮蛙喜欢凉爽天气，川村泽蛙则偏好炎热天气。

一只粗皮蛙在凉爽的河边。

原来它们都是新物种！

日本佐渡岛有一种蛙，它曾是朱鹮的食物，一直被误认成粗皮蛙，2012 年被正式认定为新物种——佐渡粗皮蛙。还有一种蛙生活在八重山地区，当时被误认为是川村泽蛙，2007 年被正式认定为新品种——先岛泽蛙。

田埂上的佐渡粗皮蛙

佐渡粗皮蛙

“啾……”

先岛泽蛙栖息的水田

先岛泽蛙

川村泽蛙

就像前面介绍的粗皮蛙与佐渡粗皮蛙，它们虽然形态相似，但佐渡粗皮蛙是隐藏在其中的新物种，我们将它称为“隐存种”。

近年来我们发现的隐存种越来越多了，那是因为现在不只靠眼睛，还可以通过调查它们的 DNA 进行生化[1]判断。

1 生化即生物化学的简称，是一门研究生物体中化学进程的学科，是化学的一个分支。

住在森林里的名蛙

一到梅雨季节，水边的树枝上就会出现来产卵的蛙类。这种具有独特习性的蛙类就是栖息在森林中的森树蛙，它的叫声也很特别：“咕咕咕噶……”

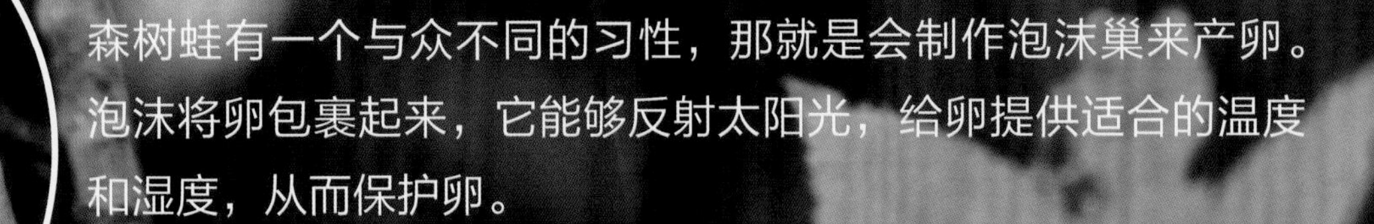

森树蛙有一个与众不同的习性，那就是会制作泡沫巢来产卵。泡沫将卵包裹起来，它能够反射太阳光，给卵提供适合的温度和湿度，从而保护卵。

制作泡沫巢产卵的森树蛙

森树蛙的小蝌蚪孵化后会从树上“扑通扑通”地掉进河里，它们之所以能准确无误地掉进河里，都归功于森树蛙妈妈对产卵地点的精心挑选。

不过再小心也躲不过狡猾的“敌人”，小蝌蚪孵化前已经有“敌人”埋伏在下面，张嘴等着“美食”从天而降呢。

水面上方的泡沫巢

一群红腹蝾螈（水中黑色的生物）等着小蝌蚪掉下来，准备美餐一顿。

森树蛙曾被用来作为日本邮票的主题图案。

森树蛙一般只生存在没有被破坏过的森林中，可以说它是“森林的守护神”。

会养娃的蛙？！

还有一种和森树蛙同样被称作“森林守护神”的蛙——艾氏树蛙，它是一种会抚育后代的蛙类，这种“带孩子”的独特习性可以称为日本之最了。

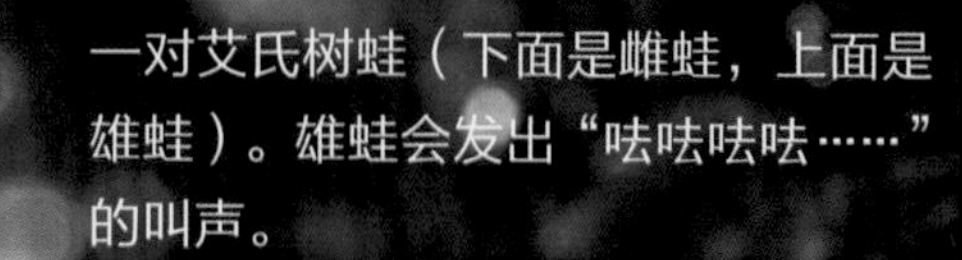

一对艾氏树蛙（下面是雌蛙，上面是雄蛙）。雄蛙会发出“咕咕咕咕……”的叫声。

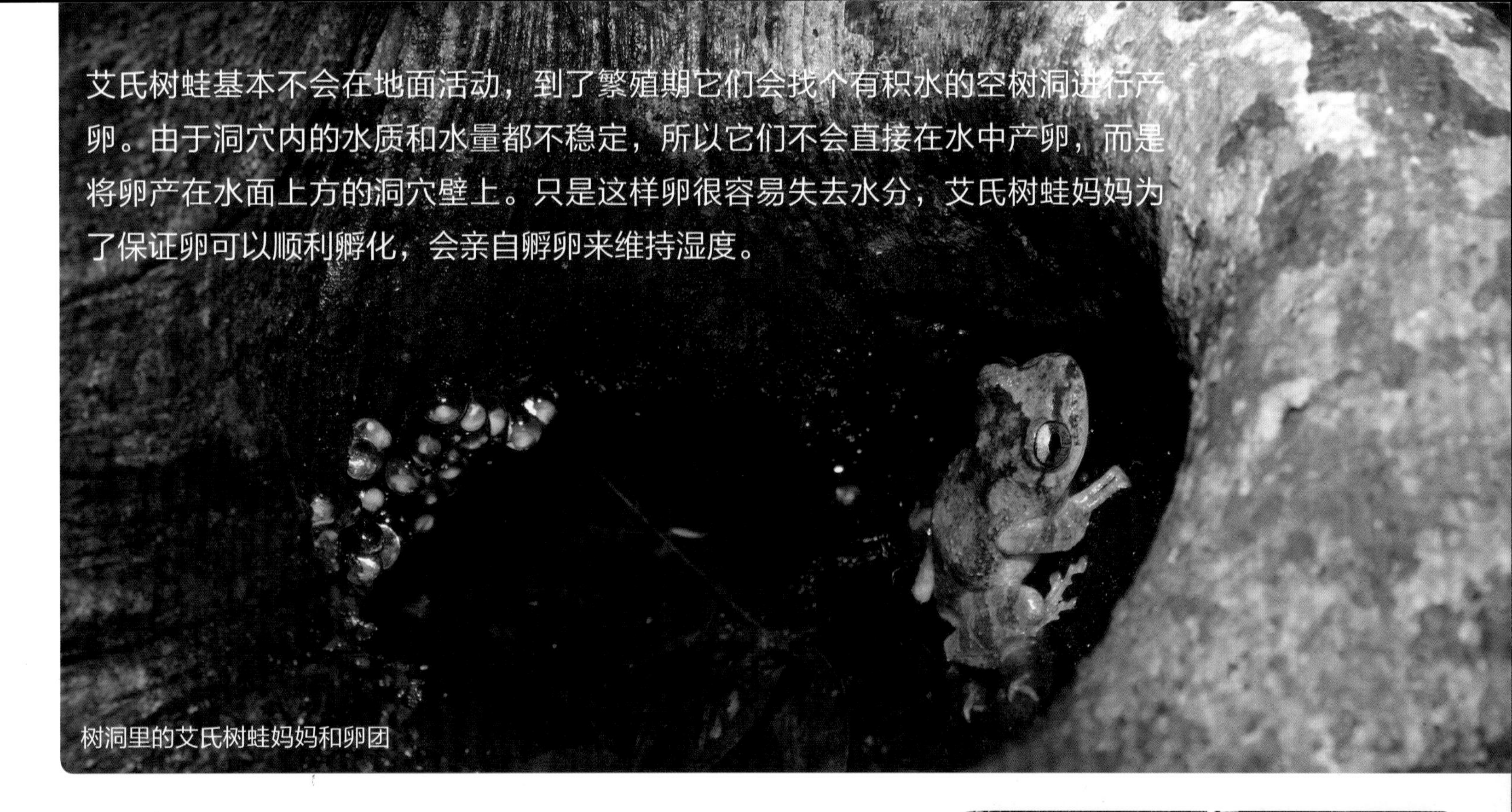

艾氏树蛙基本不会在地面活动，到了繁殖期它们会找个有积水的空树洞进行产卵。由于洞穴内的水质和水量都不稳定，所以它们不会直接在水中产卵，而是将卵产在水面上方的洞穴壁上。只是这样卵很容易失去水分，艾氏树蛙妈妈为了保证卵可以顺利孵化，会亲自孵卵来维持湿度。

树洞里的艾氏树蛙妈妈和卵团

孵化出来的小蝌蚪会和森树蛙一样掉落到水里，暂时靠吃水中的生物生存，如果食物消耗光了，蛙妈妈会开始产无精卵[1]。雌蛙尾部一耸一耸地往水中产无精卵，为小蝌蚪们提供充足的食物，接下来它们就会靠吃无精卵为生。

能遇到这样的蛙，让我无比兴奋。当时为了观察它们，我一直守在那里，以至于在森林中看到了好多次日出！

一只等不及食物而戳蛙妈妈尾部的艾氏树蛙蝌蚪

1 无精卵是指未受精的卵。

最美的蛙

经常有人问我："日本最美的蛙是哪种？"

美丑是因人而异的，我不能说哪种最美，但可以介绍两种公认的"美蛙"，那就是住在川流间的大岛臭蛙和石川氏臭蛙。

大岛臭蛙的栖息地

“哦呜……”

大岛臭蛙

发出“哦呜……”叫声的雄性大岛臭蛙

石川氏臭蛙

石川氏臭蛙身上分布着三种颜色：绿色、红色、金色。如果它跳到长满苔藓的岩石上会变得非常不显眼，身上的花纹能将它隐藏起来。雄性石川氏臭蛙会发出“嗷嘟噜噜噜……”的叫声。

这两种蛙都非常有魅力，你一定很想捉一只看看吧？其实它们都是日本认定的保护动物哦，摸一下都是不可以的。

声音动听的蛙蛙

说完日本最美的蛙，接下来介绍一种叫声很好听的蛙。春季到初夏间，清澈的小溪旁会传来“啾啾啾啾……”的叫声，发出这样悦耳叫声的就是曾出现在《万叶集》中的河鹿蛙。

在清流间鸣叫的雄性河鹿蛙

雄性河鹿蛙在石头上占领地盘，大声叫着召唤雌蛙。等到雌蛙被吸引过来，它们就会潜入水中开始产卵。

雄蛙叫着追赶一只进入领地的雌蛙。

一对河鹿蛙（下面是雌蛙，上面是雄蛙）

不断生长的河鹿蛙卵团

河鹿蛙和森树蛙都是树蛙科的，只是河鹿蛙身体并不是绿色，它的体色与河边岩石的颜色相似，是个拟态[1]高手，常常只闻其声不见其姿。

如果你也想欣赏它优美的身姿和悠扬的歌声，可以悄悄去河边观察它们，但要记住不能破坏周围的环境，结束后要将垃圾及时带走。

1 拟态是指为了躲避天敌的袭击，一种生物获得与另一种生物或者周围环境相似的特征。

叫声如鸟鸣和琴音的蛙蛙

“咕啾啾啾……”

有一种名叫日本树蛙的树蛙科蛙类，它的居住环境不像河鹿蛙一样有那么多溪流，它只能在水沟、小河、湿地等地产卵。它的身体只有河鹿蛙一半大，“咕啾啾啾……”的叫声听起来如鸟鸣。

雄性日本树蛙

聚集在产卵地的日本树蛙

还有一种蛙，它能发出“咚咚咚……”的叫声，并且声音逐渐高亢。它栖息在湿地里，就是叫声如琴音般悠扬的竖琴蛙。这种蛙会在柔软的地面上挖一个高尔夫球大小的洞，然后在这个小洞里产卵。竖琴蛙是罕见的会挖巢穴的蛙类。

竖琴蛙和它产卵的巢穴

叫声奇怪的蛙蛙

“嗷呜……”

“哇哦……”

“嗷呜……”“哇哦……”诡异的叫声划破安静的夜晚，这声音就像潜伏在黑暗森林中的鬼怪在嚎叫。我经常进山观察蛙类，但每次听到这个叫声都会吓得冷汗直冒。发出这种恐怖叫声的正是隆背蛙和赫氏赤蛙，它们俩长得也很像。

“嗷呜……”叫的大隆背蛙

“哇哦……”叫的赫氏赤蛙。它的肉质肥厚，有一定重量，以前是一种食用蛙。

隆背蛙和赫氏赤蛙除了叫声之外还有其他奇特之处：一般的蛙类前爪只有 4 根指头，但这两种蛙看上去有 5 根指头。当它们遭到袭击时，会将“第 5 根”刺状的突起伸出来作为武器保护自己。

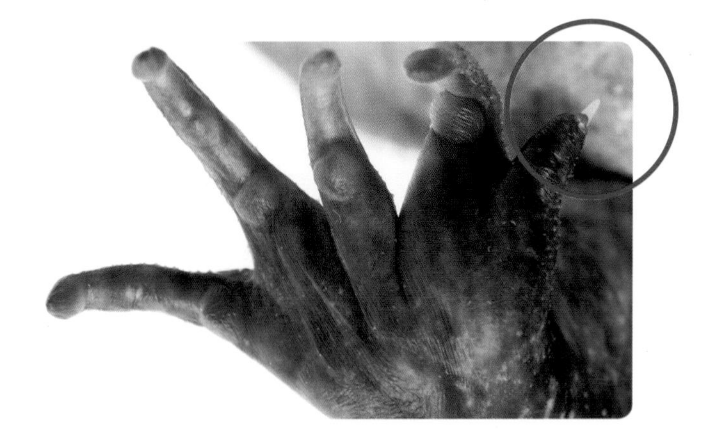
隆背蛙前爪的刺状突起

身形奇特的蛙蛙

“呱哦呱哦呱哦……”

菱形的瞳孔

波江大头蛙下颌处锯齿状的突起

蛙类的身形各式各样。

“呱哦呱哦呱哦……”叫的波江大头蛙，它的分布[1]不广，只生活在冲绳的某一个区域。它身形奇特，从上面看呈饭团形，瞳孔呈菱形，并且头非常大。

头大的好处就是它下颌肌肉非常发达，有力气吞食像螃蟹这样的硬壳动物，并且它的下颌还有锯齿状的突起，一旦猎物被它咬住是不能轻易逃脱的。

饭团形的波江大头蛙

它基本上不会离开水边。

1 分布是指生物栖息地域的大小。

冲绳小雨蛙是日本体型最小的蛙类，它的身形也很奇特：头部非常小，像小棋子一样。

虽说它体型不大，但跳跃能力非常强，3 厘米长的小身体可以跳 50 厘米高哦。另外它的叫声非常洪亮——“叩叩叩叩……”

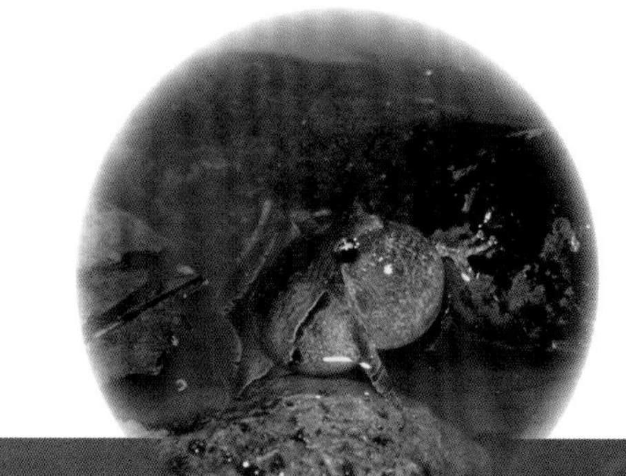

鼓起声囊大声叫的雄性冲绳小雨蛙

一对产卵中途休息的冲绳小雨蛙（下方是雌蛙，上方是雄蛙）

被认定为日本天然纪念物和即将灭绝的蛙类

前文介绍的蛙类中，有一些是受日本法律保护的品种，去观蛙前一定要事先调查清楚哦。

宇都宫臭蛙

日本文化局认定的野生蛙类栖息、繁殖基地

●日本天然纪念物

冈山县 · 汤原河鹿蛙栖息地

山口县 · 南桑河鹿蛙栖息地

岩手县 · 大扬沼森树蛙繁殖地

福岛县 · 平伏沼森树蛙繁殖地

除此之外还有很多县及地方认定的栖息、繁殖地。

森树蛙

河鹿蛙

大岛臭蛙

日本环境省认定的保护品种

●物种保护法

（日本国内珍稀野生动植物种）（到 2019 年 3 月末为止）

赫氏赤蛙　石川氏臭蛙

隆背蛙　大岛臭蛙

波江大头蛙　宇都宫臭蛙

除此之外还有很多县及地方认定的品种。

日本有许多蛙类面临灭绝的危机，导致蛙类灭绝的一个原因是环境的破坏。对蛙类来说水岸边的环境是非常重要的，再加上一些蛙的栖息环境特殊，如果环境被破坏，会让蛙类难以生存下去。此外，因自然灾害造成蛙类栖息地改变、人类对城市的开发以及对捕杀野生动物造成的生物链失衡，都是导致蛙类灭绝的原因。

《2019 年环境省濒临灭绝珍稀物种一览表》中记录的日本蛙类有：灭绝（EX）、野外灭绝（EW）、极危（CR）、数据缺乏（DD）、地域濒危生物群体（LP）暂无。

●濒危（EN）：还没达到极危（CR），但在不久的将来有灭绝可能性的物种

大岛臭蛙 石川氏臭蛙 隆背蛙 宇都宫臭蛙 佐渡粗皮蛙 名古屋达摩蛙 波江大头蛙 赫氏赤蛙

● 易危（VU）：灭绝可能性在逐渐增加的物种

奄美臭蛙 琉球臭蛙 竖琴蛙

● 近危（NT）：现阶段灭绝可能性不高，但如果生存条件改变可能会提升到濒危级别的物种

奄美赤蛙 八重山臭蛙 隐岐田子蛙 上野赤蛙 对马赤蛙 东京达摩蛙 黑斑侧褶蛙 宫古蟾蜍 屋久岛田子蛙 冲绳赤蛙

世界上一些濒危的蛙类

杂色箭毒蛙 红眼树蛙 苏利南角蛙（亚马孙角蛙） 红犁足蛙 某种雨蛙 黄带箭毒蛙 苔藓蛙 钴蓝箭毒蛙 番茄蛙

橙条汀蟾 穆勒白蚁蛙 大黄蜂蟾蜍 蜡猴叶泡蛙 条纹叶泡蛙 灰攀树蛙 马达加斯加彩蛙 巨猴树蛙 圆点树蛙

酷暑下的蛙蛙

对生活在温带[1]地区的蛙类来说，盛夏是非常难熬的。

这个时期只要不下雨，就基本上看不到蛙类的身影。平时“呱呱”叫的蛙、在水中欢快游泳的蝌蚪，还有即将上岸的小蛙……它们到底藏到哪里去了呢?

除了出没在树荫下的蟾蜍、在亮处等待捕捉昆虫的日本雨蛙之外，基本没有别的蛙露面。

1 温带是指全年气候温暖，没有明显四季区分的区域。

蛙类都是变温动物[1]，如果照不到阳光又不运动，就很容易滋生细菌、长寄生虫，所以它们需要晒太阳。它们晒太阳时会将四肢紧紧收在身体下，这是为了尽量保持皮肤湿润。四肢蜷缩在胸前的姿势仿佛是在“祈祷”，也许是在“祈祷”炎热难熬的夏天快点过去吧。

为了防止皮肤水分流失，蛙的身体缩成一团，像是在“祈祷”。

1 变温动物是指靠吸收外部环境热量来调节自身体温的动物。

一年的巡蛙之旅结束了

转眼间夏季过去，到了秋季。

盛夏时期“消失”的蛙类都冒出来了，它们聚集在秋收后的稻田里。

为什么“消失”的蛙类都出现在稻田里呢？那是因为秋收后的田地里有许多它们爱吃的昆虫，饱餐一顿后它们就要开始冬眠啦。

黑斑侧褶蛙、粗皮蛙、川村泽蛙在稻田里冬眠；蟾蜍则喜欢在林荫道边或者小院里冬眠；日本雨蛙的冬眠地点选在城市的公园里……每种蛙都有自己喜欢的冬眠环境。森林中的树叶掉光了，稻田和森林的一年四季就这样过去了。

秋收时节盛开的石蒜花

在秋季稻田里猎食蚱蜢
的黑斑侧褶蛙

冬眠的日本雨蛙

冬眠的黑斑侧褶蛙

冬眠的施氏树蛙

后记

我的日本蛙蛙探险如何?

我觉得蛙类是万能的生物！它们有很强的跳跃能力，能利用自身毒性、模拟周围环境来保护自己，还能自由地在水陆间穿行……

为了找出蛙类数量减少的原因，我走遍全日本的蛙类栖息地，发现由于农业模式的变化，冬季稻田里不再蓄水，导致蛙类无法产卵；还有很多蛙类掉进人工排水沟而被晒干；也有因为环境破坏而导致池塘、溪流、森林等已经不能满足蛙类所需的生存条件。

我对蛙类知之甚少，接下来还会不断地去了解它们，找到保护它们的方法。我希望今后人类不要与蛙类疏离，要世世代代都能与蛙类和谐生存在一起。今天的我又出发了，走！去观察蛙蛙！

关慎太郎

自然摄影师。1972 年生于日本兵库县神户市。他致力于保护野生动物，擅长用镜头记录身边的两栖动物、爬行动物和淡水鱼类等。曾创建 AZ Relief（水陆野生动物支援救助）机构。著有《野外观察工具书——日本两栖动物图鉴》《野外观察工具书——日本爬虫图鉴》《小蝾螈出生啦！》等图书。

图书在版编目（CIP）数据

蛙蛙探险记 /（日）关慎太郎著；光合作用译 . —长沙：湖南科学技术出版社，2021.12
（自然侦探团）
ISBN 978-7-5710-0966-3

Ⅰ . ①蛙… Ⅱ . ①关… ②光… Ⅲ . ①黑斑蛙—少儿读物 Ⅳ . ① Q959.5-49

中国版本图书馆 CIP 数据核字 (2021) 第 076344 号

WAWA TANXIAN JI

蛙蛙探险记

著　　者：[日] 关慎太郎
译　　者：光合作用
出 版 人：潘晓山
责任编辑：李　霞　姜　岚　杨　旻
封面设计：有象文化
责任美编：谢　颖
出版发行：湖南科学技术出版社
社　　址：长沙市湘雅路 276 号
网　　址：http://www.hnstp.com
湖南科学技术出版社天猫旗舰店网址：
http://hnkjcbs.tmall.com
邮购联系：本社直销科 0731-84375808

印　　刷：长沙市雅高彩印有限公司
（印装质量问题请直接与本厂联系）
厂　　址：长沙市开福区中青路1255号
邮　　编：410153
版　　次：2021 年 12 月第 1 版
印　　次：2021 年 12 月第 1 次印刷
开　　本：787mm × 1092mm　1/16
印　　张：4
字　　数：50 千字
书　　号：ISBN 978-7-5710-0966-3
定　　价：38.00 元

蝌蚪图鉴

外来物种

黑斑侧褶蛙蝌蚪

奄美臭蛙蝌蚪

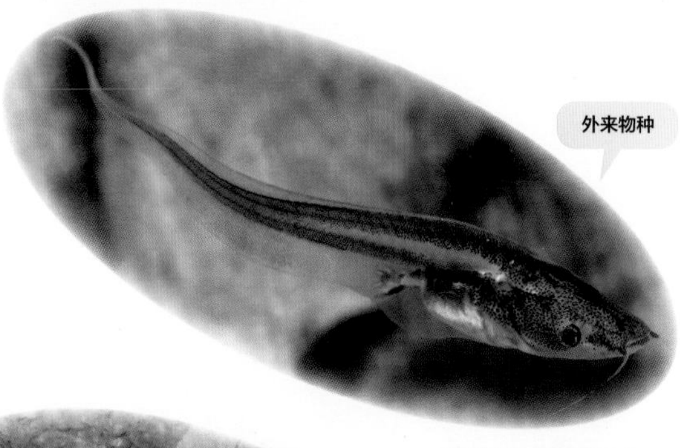

非洲爪蟾蝌蚪

粗皮蛙蝌蚪

东蟾蜍蝌蚪

佐渡粗皮蛙蝌蚪

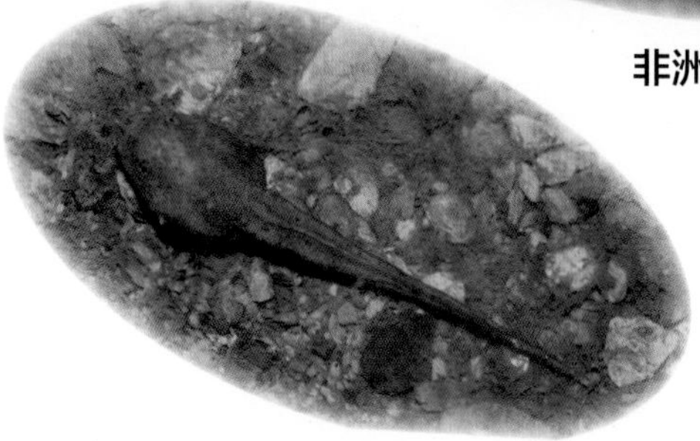

隆背蛙蝌蚪

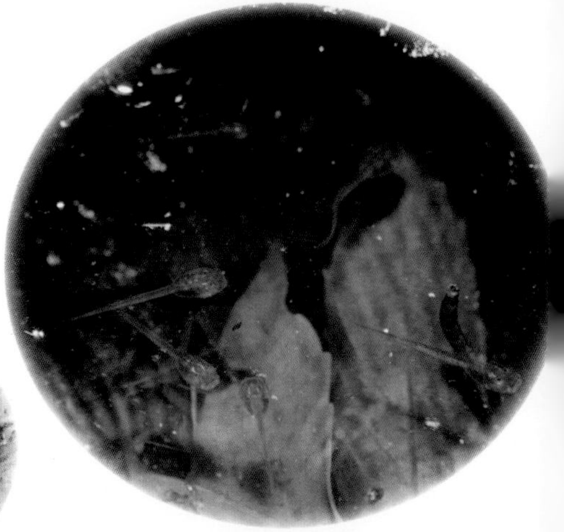

森树蛙蝌蚪

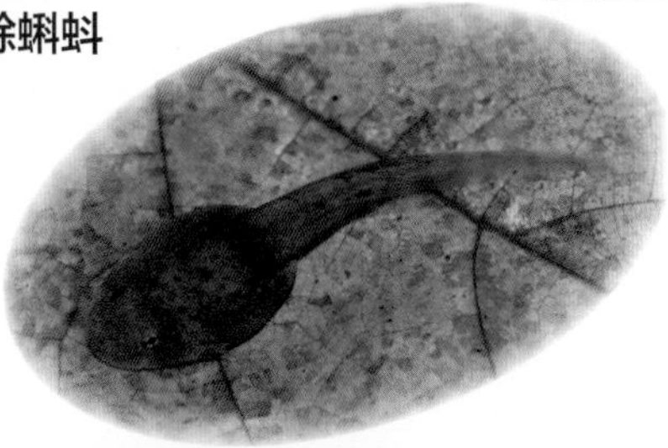

艾氏树蛙蝌蚪

石川氏臭蛙蝌蚪

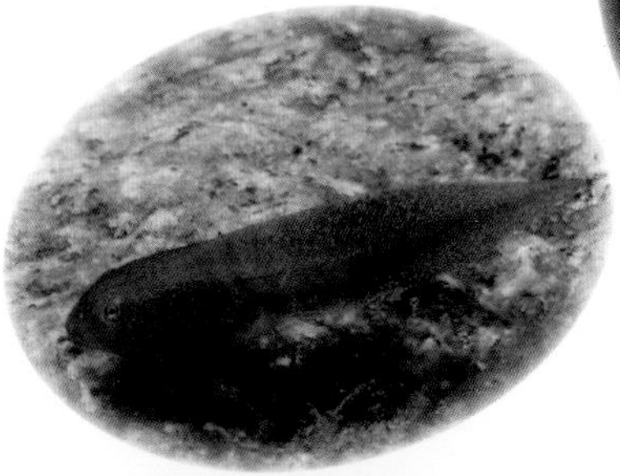

冲绳小雨蛙蝌蚪

川村泽蛙蝌蚪

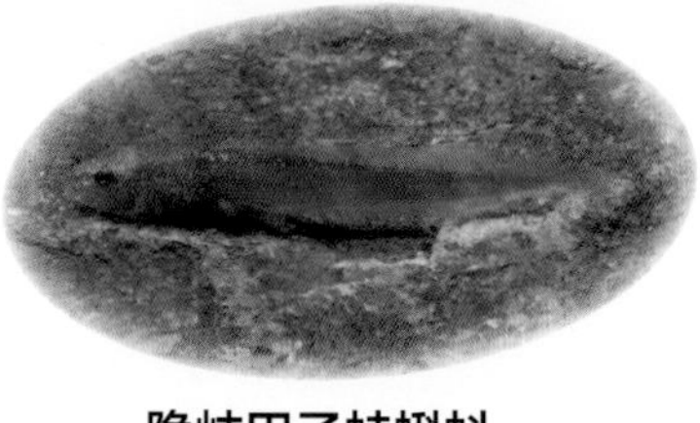

隐岐田子蛙蝌蚪

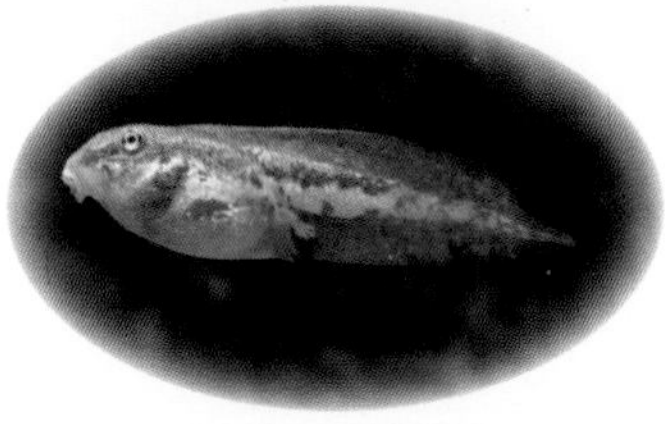

日本雨蛙蝌蚪

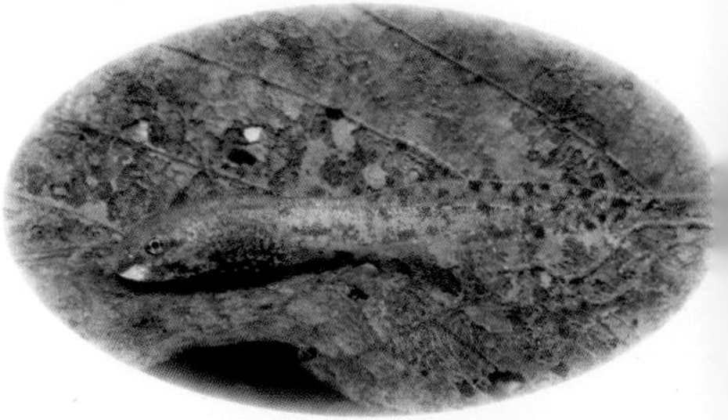

波江大头蛙蝌蚪

日本蛙类全 48 种侧面照

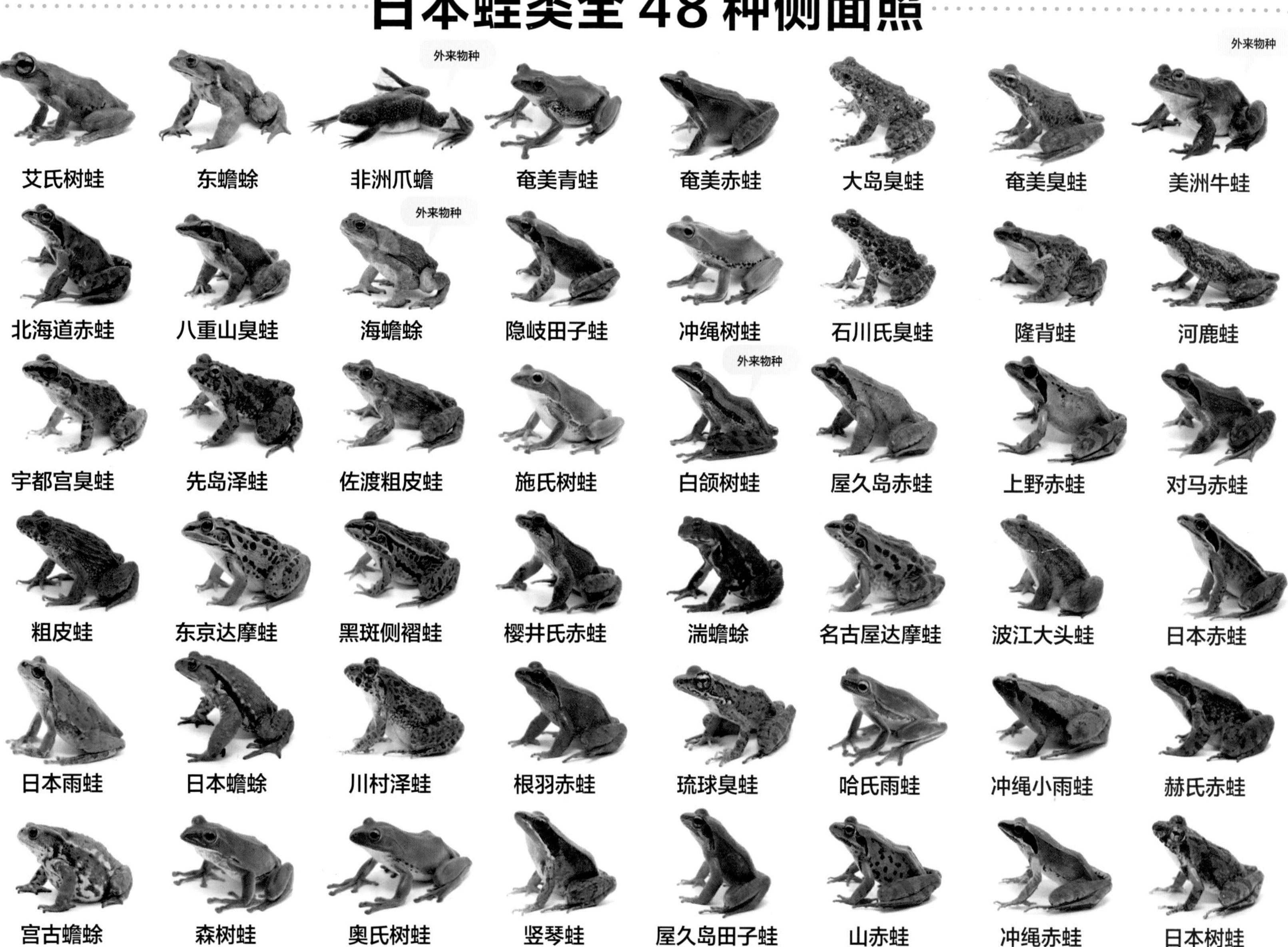